DRAGOÑE

1. L'ELITE

ROD | ECO

éditions CARABAS

& éditions de TOURNON

remerciements

Merci à Guy et Laurence d'être
partis à Shangaï

Rod

bibliographie **rod** | bibliographie **eco**

Mike Zombi
(2 tomes)
avec David Bolvin
éditions Carabas

Murder & Scoty
(4 tomes)
éditions Paquet

PAD
éditions Carabas

Fire Plug Kung Fu
éditions La Boîte à Bulles

Tommy Egg
(3 tomes)
éditions Paquet

Love Story
éditions Paquet

·nexus·
collection·

1ère édition : juin 2006 - dépôt légal : juin 2006
i.s.b.n : 2-351000-77-3

conception graphique : carabas

achevé d'imprimer en mai 2006
sur les presses de l'imprimerie clerc

www.editions-carabas.com

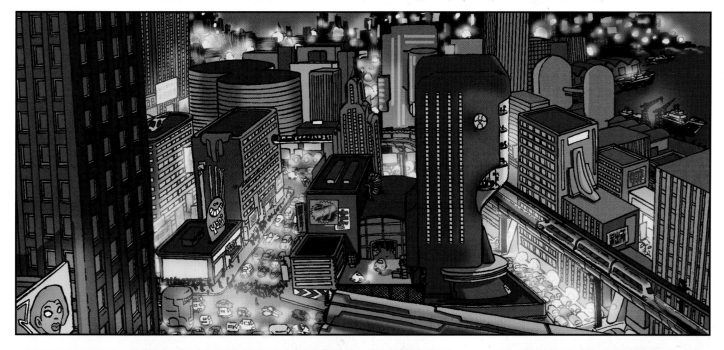

BLINDZONE 2053

ATTENDS! AVEC MES FRANGINS ON SORT D'UNE SEMAINE DE MALADE, À BOSSER COMME DES FOUS!! ON VOUDRAIT JUSTE SE DÉTENDRE UN COUP!?!

SI C'EST POUR LA THUNE... Y'A PAS DE PROBLÈME !

À L'AISE QUE C'EST PAS UN SOUCI !

FAIS LUI VOIR QU'ON SAIT ÊTRE GALANT ...

HEY! CHEF! SERS UN VERRE À LA DAME!

4

OKAY!

GROUILLE-TOI ON Y VA!

TU PRENDS COMBIEN POUR LA FILLE?

OUAIS MEC! LA FILLE AU BAR! FAUDRAIT VOIR À LA RENDRE PLUS DOCILE!!

ON VEUT PAS T'EMBROUILLER MEC! JUSTE PASSER UN PEU DE BON TEMPS.

ET ON EST PAS DES MARIOLLES. ON A DE QUOI PAYER

QUELLE FILLE ?!?

TO-

-NY

TONY POWER

PUTAIN GROUILLE ! COURS !

JE PENSE QUE CES TROIS LÀ NE VOUS ENNUIERONT PLUS !

LEUR ENVIE D'EN DÉCOUDRE ÉTAIT MOINS GRANDE QUE LEUR

PEUR...

UN PEU PLUS DE GRATITUDE SERAIT APPRÉCIÉE JEUNE HOMME.

HEY, JE VOUS PARLE.

12

DE TOUS LES MEMBRES DE L'ÉLITE VOUS ÊTES MON PRÉFÉRÉ! JOHN VAUDOU, IL EST PAS MAL, MAIS JE TROUVE QU'IL EN FAIT UN PEU TROP!

C'EST PAS POSSIBLE QUE ÇA M'ARRIVE À MOI!?! SAUVÉ PAR TONY POWER! QUAND JE DIRAI ÇA À CATHY.

JE SAIS QU'ON DOIT SOUVENT VOUS DEMANDER ÇA ET QUE C'EST UN PEU BÊTE MAIS VOUS POURRIEZ ME SIGNER UN AUTOGRAPHE.

ENFIN, BIEN SÛR LÀ J'AI RIEN POUR ÉCRIRE!!

MAIS SI VOUS AVEZ UN STYLO, VOUS POUVEZ ME LE FAIRE SUR LE BRAS

VEUILLEZ M'EXCUSER MADEMOISELLE MAIS JE DOIS VOUS LAISSER.

?!

HEY ATTENDEZ UN PEU!

HEY! HEY! ATTENDS!

VAS-Y COMMENT T'AS FAIT!? HOU! ATTENDS

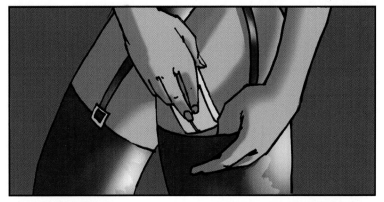

C'EST À CAUSE DU COUP DE FIL !?

DÉSOLÉ, MAIS C'ÉTAIT MA COPINE CATHY...

J'AI ESSAYÉ D'ABRÉGER MAIS...

LAISSE TOMBER.

MAIS SINON, DANS LA VIE, TU SAIS FAIRE QUOI LAROKU À PART TIRER LA TRONCHE !?

HEY! REGARDE C'EST EUX L'ÉLITE !

ALORS TU TE SOUVIENS ?!

NON...

19

JE SUIS DÉSOLÉE MAIS TU VOIS AVEC MA COPINE CATHY ON S'APPELLE SOUVENT!

QUI ?

MA COPINE, CATHY, LE COUP DE FIL DE TOUT À L'HEURE!! OUAIS JE SAIS, LÀ C'EST MAL TOMBÉ.

ET ALORS, C'ÉTAIT PLUTÔT DES BONNES NOUVELLES.

HEIN EUH OUI ENFIN, BAH, C'EST TROP COMPLIQUÉ TROP LONG À...

HÉ! QU'EST-CE QUI SE PASSE LÀ-BAS ?

LA NOELYTHE TUE DES MILLIERS DE PERSONNES.PAR AN

IL FAUT REPLACER LA SANTÉ AVANT LA RENTABILITÉ... L'AN PASSÉ 23 EMPLOYÉS DE CETTE ENTREPRISE ONT DÉVELOPPÉ DES ...

MALADIES CANCÉRIGÈNES, LE GOUVERNEMENT DOIT RÉAGIR, FORCER LES ENTREPRISES À

La noelythe tue
153 personnes sont mortes de
s au contact de ce régulateur
e sécurités   dû au ma
la noelythe   sont bi
rse au profit   est la p
cette absence)   de sécurité
ment   est directe
pas assez de con
as de d

INDEMNISER LES FAMILLES DES VICTIMES, ET CONTRÔLER PLUS SÉRIEUSEMENT LA SÉCURITÉ DES INSTALLATIONS INDUSTRIELLES, DEMAIN IL SERA TROP TARD!

MAIS TOUS ENSEMBLE NOUS POUVONS FAIRE BOUGER LES CHOSES !!

FRITZ
LÜGGER

FRITZ
LÜGGER

'FAUT
SE TIRER.

T'AS
ENTEND...

HEY! HO!
ÇA VA!

HEY!
LAROKU!

TU
M'ENTENDS
!?!

ON NE
PEUT PAS
RESTER LÀ
!!

Y'A
FRITZ
LÜGGER

'FAUT QU'ON
SE DÉGAGE
VITE!

BOUGE PAS
JE REVIENS !!
!!!

ÇA VA
TU TE SENS
MIEUX !?

EUH OUAIS
JE CROIS !

QU'EST-CE
QUI C'EST
PASSÉ ?!?

T'AS ÉTÉ
TOUCHÉ !?
FAIS VOIR.

JE NE ME SOUVIENS
PAS BIEN... J'AI DÛ
ÊTRE SECOUÉ PAR
L'EXPLOSION
...

QU'EST-CE QUI S'EST PASSÉ C'ETAIT QUI CE TYPE !

FRITZ LÜGGER IL EST SUPER DANGEREUX D'AILLEURS SI TU TE SENS MIEUX FAUDRAIT PAS TROP TRAINER D'ICI.

J'HABITE PLUS TRÈS LOIN, C'EST L'IMMEUBLE LÀ-BAS.

C'EST UN PEU GLAUQUE COMME QUARTIER.

WAH, NON ÇA VA, C'EST POPULAIRE.

OUAIS C'EST CE QUE JE DIS C'EST GLAUQUE

VAS-Y... INSTALLE TOI, J'EN AI POUR DEUX MINUTES ...

Y'A LA TÉLÉ SI TU VEUX !

C'EST PLUTÔT COSY CHEZ TOI...

TU VEUX BOIRE UN TRUC !?

OUAIS... T'AS QUOI ?!

EUH DU LAIT... ET PEUT-ÊTRE UN FOND DE VODKA !

JE PEUX TE FAIRE UN COCKTAIL !

ÇA VA !? J'AI PAS ÉTÉ TROP LONGUE !?

TU T'ES CHANGÉE..

JE CROIS QUE JE PRÉFÉRAIS QUAND TU NE PARLAIS PAS... TU DISAIS MOINS DE CONNERIES!

ALLEZ LARUKU! FAIS PAS LA GUEULE, JE PLAISANTE!

TU T'ES DÉJÀ BALADÉ LE NOMBRIL À L'AIR, UN SLIP DANS LES FESSES AVEC DES HAUTS TALONS.

ÇA, C'EST POUR ... POUR BOSSER, ENFIN TU COMPRENDS! JE SUIS PLUS À L'AISE DANS MON VIEUX JOGGING...

HEY! ATTENDS Y'EST QUELLE HEURE LÀ!? ÇA VA ÊTRE LES INFOS!!

ATTENDS, BOUGE PAS!!! JE PRENDS LA TÉLÉCOMMANDE!

SOIRÉE DE VIOLENCES DANS LA ZONE INDUSTRIELLE DE BLINDZONE! ON DÉNOMBRE DES DIZAINES DE VICTIMES, LA FOLIE MEURTRIÈRE DE FRITZ LÜGGER S'EST DÉCHAÎNÉE SUR L'USINE DE NOELYTHE.

ILS PARLERONT SÛREMENT DE FRITZ LÜGGER

DE L'EXPLOSION DE L'USINE!

SEMANT LA PANIQUE ET LA MORT, FRITZ LÜGGER A SURGI DANS L'USINE DE NOELYTHE! POUR, SEMBLE T'IL, VOLER UN NOUVEAU PROTOTYPE DE CE RALENTISSEUR TEMPOREL!

L'APPARITION DE CE MONSTRE LAISSE COMME À L'ACCOUTUMÉE SON CORTÈGE D'IMAGES SOMBRES ET DE VICTIMES GRATUITES.

L'INTERVENTION DE L'ÉLITE A PERMIS DE RÉTABLIR LE CALME

MAIS FRITZ LÜGGER A RÉUSSI À PRENDRE LA FUITE!

MAIS DES QUESTIONS RESTENT EN SUSPENS, POURQUOI FRITZ LÜGGER A T'IL VOLÉ DE LA NOELYTHE?! ET QUE VEUT-IL EN FAIRE?

MAIS CONCRÈTEMENT QU'EST-CE QUE L'ÉLITE OU LE GOUVERNEMENT COMPTE FAIRE ?

CE QUE NOUS FAISONS TOUJOURS... VOUS PROTÉGER !

T'AS VU ! C'EST TONY POWER ! TU TE SOUVIENS !

NON ...

BEN SI LE MEC QUE T'AS FRAPPÉ PRÈS DU CAFÉ ...

NON, TU COMPRENDS PAS ! L'EMMERDEUR DE TOUT À L'HEURE, OUI JE M'EN SOUVIENS.

MAIS PAS LA NOELYTHE, FRITZ LÜGGER, LE GOUVERNEMENT L'ÉLITE ...

LE MONDE DANS LEQUEL ON VIT ! C'EST ÇA DONT JE NE ME SOUVIENS PAS !

TU NE TE SOUVIENS VRAIMENT DE RIEN...

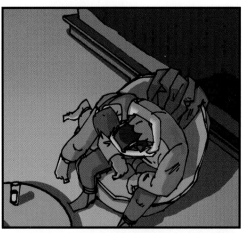

NON ...

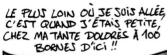

ILS VIENNENT ME CHERCHER À CAUSE D'HIER SOIR

LA BAGARRE... TONY POWER 'FAUT QUE JE PARTE!

T'INQUIÈTES PAS! ILS SONT VENUS POUR LES DEALERS! ILS DESCENDENT SOUVENT DANS LE QUARTIER!

OUAIS! OUAIS! UNE FILLE AUX CHEVEUX ROUGES! LÀ-BAS AU DEUXIÈME ÉTAGE!

JE CROIS QUE T'AS RAISON, ILS SONT LÀ POUR NOUS, 'FAUT PARTIR!

KABAMM

BOUGEZ PAS TAS DE MERDE!

VOUS ÊTES EN ÉTAT! D'ARRESTATION !!!

33

MARY, VA FALLÓIR COURIR!

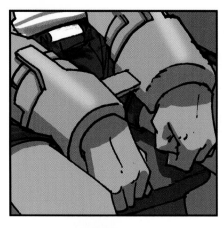

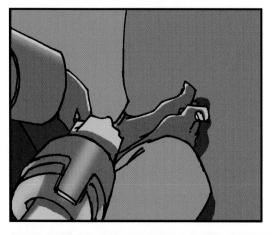

ASSIEDS-TOI WALTER! ON ARRIVE!

BAISSE LES YEUX!

36

LES VOILÀ MONSIEUR...

AH! TRÉS BIEN!

TOI! TU BRONCHES T'ES MORT!!

QU'EST-CE QUI VOUS PREND DE LES MALTRAITER DE LA SORTE!?!

QUE ?!

FOUTEZ LE CAMP AVANT QUE JE NE VOUS BRISE TOUT ESPOIR D'ASCENSION SOCIALE!

LES CLÉS!

MERCI

FOUTEZ LE CAMP!

JE NE M'ÉTAIS PAS TROMPÉ!

C'EST BIEN TOI! JE T'AI RETROUVÉ!

C'EST QUI ?

COMMENT ÇA C'EST QUI !?

MAIS C'EST DRAGÖNE !

DRAGÖNE !?!

DRAGÖNE DE L'ÉLITE !?!

BEN OOI POURQOI ?

BEN... IL EST AMNÉSIQUE...

AMNÉSIQUE ?!

HOM OUAIS...

MAIS NON... UN PETIT COOP DE RASOIR, UN BON BAIN ET IL N'Y PARAÎTRA PLUS RIEN...

HOPOP HOP... LE TEMPS N'A QUE FAIRE DE NOS RETROUVAILLES

IL FAUT QUE JE FILE... MAIS N'OUBLIEZ PAS LA SOIRÉE POUR TON RETOUR DRAGÖNE ! JE PASSE VOUS CHERCHER VERS 20H

QU'EST-CE QU'ON FAIT ON RESTE ICI ?

BEN OUI... C'EST CHEZ DRAGÖNE ICI !

VLAN

FAUT QUE JE TÉLÉPHONE À CATHY !

IL EST OÙ TON TÉLÉPHONE ?

OUAIS... NON ! C'EST VRAI, TU TE SOUVIENS PAS. C'EST PAS GRAVE JE VAIS TROUVER !

PUTAIN PUTAIN PUTAIN

DRAGÖNE

L'ÉLITE LA MAISON

WAH ! NON, LA TAILLE DE CETTE VILLA !!!

Y'A MÊME LA CLIM' C'EST DINGUE !

HEY ! MÊME LES PRISES DE COURANT ELLES SONT DESIGN !!

C'EST TROP FORT !!

HEY ! T'AS UNE SALLE DE BAIN DE LA SUPERFICIE DU BÉNÉLUX !

JE NE SUIS PAS UN SUPER HÉROS !

41

ALORS, CETTE JOURNÉE CHEZ TOI !? ÇA S'EST BIEN PASSÉ TU RETROUVES TES REPÈRES !?

EUH, OUAIS... OUAIS... ÇA REVIENT !

EN TOUT CAS T'AS MEILLEURE MINE, LA BARBE HIRSUTE ET LE LOOK GRAND BRUN TÉNÉBREUX ÇA NE T'ALLAIT PAS DU TOUT !

ÇA Y EST ON ARRIVE... L'IMPÉRATOR HALL !!!

ÇA Y EST LA VOITURE ARRIVE, LA PLACE DE L'IMPÉRATOR HALL EST NOIRE DE MONDE

TOUT BLINDZONE SEMBLE S'ÊTRE RÉUNI ICI POUR ACCLAMER LE RETOUR DE SON HÉROS... CELUI QUI...

MAIS ÇA Y EST LE VOILÀ, DRAGÕNE ! DRAGÕNE DESCEND DE LA VOITURE. IL RÈGNE ICI UNE AMBIANCE INCROYABLE ! DRAGÕNE SE FRAYE UN CHEMIN AU MILIEU DE LA FOULE

QUI FAIT UN VÉRITABLE TRIOMPHE À CELUI QU'ELLE PENSAIT AVOIR PERDU ! C'EST LE RETOUR DU MESSIE ! JÉSUS MARCHANT SUR...

ALORS COUSIN !? T'ÉTAIS OÙ, NOUS ON TE CROYAIT MORT !

ET TU NOUS RAMÈNES UNE FRANGINE !

DIS DONC, T'AS DÛ TRAÎNER DANS DES COINS PAS POSSIBLES !

TONY NOUS A DIT QUE TU AVAIS EU UN PETIT COUP DE BLUES.

MESDAMES, MESDEMOISELLES, CHERS CONCITOYENS

CHUT, LE DISCOURS DU GOUVERNEUR.

RASSUREZ VOUS, JE NE VAIS PAS VOUS FAIRE DE LONGS DISCOURS PROTOCOLAIRES, MAIS JUSTE VOUS EXPRIMER MA JOIE...

QUI COMME J'AI PU LE CONSTATER EST PARTAGÉE PAR TOUTE LA MÉTROPOLE !

CE SOIR NOUS ACCUEILLONS LE RETOUR DE CELUI QUI EST CERTAINEMENT LE PLUS

AH ! AH ! AH ! J'ESPÈRE QUE JE NE GÂCHE PAS LA PETITE SAUTERIE !

KLING

ENTRE LA MÉTÉO ET L'HOROSCOPE TU VIENDRAIS PAS T'ENTRAÎNER UN PEU !?!

C'EST LA BANDE D'UGGLY MOMMY QUI AURAIT BIEN BESOIN DE S'ENTRAÎNER...

MAIS OUAIS MEC! HIER SOIR UGGLY MOMO C'ÉTAIT PLUTÔT CAPT'AIN LA LOOSE!

À PROPOS DE CAPITAINE !? ÇA FAIT DU BIEN D'ÊTRE DE RETOUR DANS L'ÉQUIPE, DRAGÕNE !?

HÉ! HÉ! OUAIS!

TUTUTUTUTUTUTUTUT

DU BOULOT LES GARS!

PRISE D'OTAGE DANS LE CENTRE VILLE!

INTERVENTION: 7548v-45
BRAQUAGE DE BANQUE
À MAIN ARMÉE
PRISE D'OTAGE
FUITE EN VOITURE